Anglais

Corinne Touati

Professeur d'anglais

*Écris
ton prénom.*

....

Présentation

Ce cahier aidera votre enfant à consolider ses acquis et à s'évaluer en **anglais** durant son année de **CM1**.

▶ Chaque chapitre comporte quatre pages : une double page de **VOCABULAIRE**, et une double page de **GRAMMAIRE**.

▶ Sur chaque double page, une notion est traitée et expliquée.

▶ Les exercices reprennent de façon systématique toutes les notions abordées en classe.

▶ Ils assurent ainsi, par une mise en application répétée de la règle, une parfaite acquisition des connaissances et des savoir-faire attendus.

■ Avant de commencer les exercices du cahier, votre enfant peut faire le **test d'anglais** pages 4 et 5 pour évaluer son niveau. En fonction de ses résultats (page 6), et en consultant ensuite le tableau de bord de la page 3, vous pourrez facilement repérer les notions à réviser en priorité. Cependant, il lui est également possible de travailler sur les chapitres dans l'ordre où ils sont proposés.

■ Sur chaque double page, la **règle** est rappelée et accompagnée d'**exemples** dans la rubrique 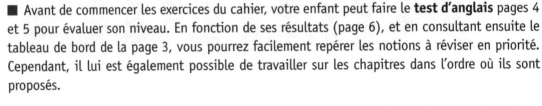 JE COMPRENDS . En complément de la règle, la rubrique JE LIS permettra à votre enfant de se familiariser à l'oral avec certains mots du chapitre.

Note bien qu'à la 3ᵉ personne du singulier (**he**, **she**, **it**), le verbe se termine par un **s**.

■ Les **exercices** proposent un système de graduation avec une, deux ou trois étoiles indiquant leur **niveau de difficulté**. Ils reprennent méthodiquement la notion abordée dans la double page de manière à optimiser l'assimilation des connaissances. Une petite 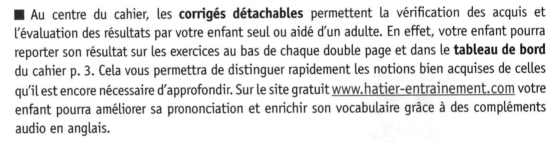 **ASTUCE** , sur fond bleu, donne régulièrement à votre enfant un coup de pouce pour l'aider à résoudre un exercice, ou bien une information culturelle sur les pays anglophones.

■ Au centre du cahier, les **corrigés détachables** permettent la vérification des acquis et l'évaluation des résultats par votre enfant seul ou aidé d'un adulte. En effet, votre enfant pourra reporter son résultat sur les exercices au bas de chaque double page et dans le **tableau de bord** du cahier p. 3. Cela vous permettra de distinguer rapidement les notions bien acquises de celles qu'il est encore nécessaire d'approfondir. Sur le site gratuit www.hatier-entrainement.com votre enfant pourra améliorer sa prononciation et enrichir son vocabulaire grâce à des compléments audio en anglais.

■ Sur les dernières pages de ce cahier, votre enfant trouvera un **lexique** des mots à connaitre et un tableau récapitulant la **prononciation** de quelques mots anglais.

■ Dans ce cahier, certains mots sont écrits selon les prérogatives du Ministère de l'Éducation nationale, recommandant d'appliquer la nouvelle orthographe. Par exemple, le mot « goûter » devra dorénavant s'écrire « gouter » ou encore le mot composé « des après-midi » s'écrira « des après-midis » et en français « week-end » s'écrira « weekend ».

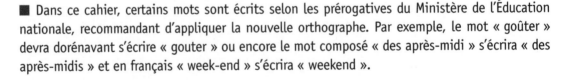

© Hatier, 8 rue d'Assas, 75006 Paris • 2019 • ISBN : 978-2-401-05051-8
Conception graphique : Frédéric Jély • Édition : Imaginemos • Mise en page : STDI
• Illustrations : Paul Beaupère • Chouettes : Adrien Siroy.

Ton tableau de bord

Reporte la date à laquelle tu as fini chaque page d'exercices et coche la case ☐☐☐ qui correspond à ton résultat.

VOCABULAIRE

		DATE
(1) Bonjour ! **Good morning!**	**p. 8** ☐☐☐	....
(2) Je m'appelle Carla. My name's Carla.	**p. 12** ☐☐☐	....
(3) La famille. The family Les animaux domestiques. Pets	**p. 16** ☐☐☐	....
(4) Une semaine à l'école A week at school	**p. 20** ☐☐☐	....
(5) Les repas. Meals	**p. 24** ☐☐☐	....
(6) Le visage et le corps The face and the body	**p. 28** ☐☐☐	....
(7) Les adjectifs	**p. 32** ☐☐☐	....
(8) Les chiffres et l'heure Numbers and time	**p. 36** ☐☐☐	....
(9) La maison, les meubles The house, the furniture	**p. 40** ☐☐☐	....
(10) Jeux. Games	**p. 44** ☐☐☐	....

GRAMMAIRE

		DATE
Le présent	**p. 10** ☐☐☐	....
Le verbe être : be	**p. 14** ☐☐☐	....
Il y a : there is, there are	**p. 18** ☐☐☐	....
Qui ? Quoi ? Who? What?	**p. 22** ☐☐☐	....
Le verbe avoir : have got	**p. 26** ☐☐☐	....
Le verbe pouvoir : can	**p. 30** ☐☐☐	....
La place des adjectifs	**p. 34** ☐☐☐	....
Combien ? How much? How many? Quel âge ? How old?	**p. 38** ☐☐☐	....
Où ? sur, dans, sous, entre Where? on, in, under, between	**p. 42** ☐☐☐	....
Jeux. Games	**p. 46** ☐☐☐	....

Lexique .... p. 48

Mémo Chouette ...... à la fin du cahier

Corrigés .... dans le livret
détachable au
centre du cahier.

« Chouette bilan » : rendez-vous sur
le site www.hatier-entrainement.com
pour faire le bilan de tes connaissances
en ANGLAIS CM1 !

TEST

Avant de commencer les activités de ton cahier, réponds à ces questions. Puis consulte le tableau page 6 pour découvrir les résultats de ton test d'anglais !

1 Pour demander le nom de ton camarade, tu diras : **What's your name?**

VRAI ☐   FAUX ☐

2 Les jours de la semaine ne prennent pas de majuscules.

VRAI ☐   FAUX ☐

3 Si tu as très faim, tu diras : **I'm thirsty.**

VRAI ☐   FAUX ☐

4 Le mot, **blackboard**, qui signifie **un tableau**, est-il bien écrit ?

VRAI ☐   FAUX ☐

5 Pour te laver, tu vas dans **the kitchen.**

VRAI ☐   FAUX ☐

6 Pour dormir, tu te diriges vers **the bedroom.**

VRAI ☐   FAUX ☐

7 **There are**, qui signifie **il y a**, doit être suivi d'un singulier.

VRAI ☐   FAUX ☐

8 Pour présenter quelqu'un, tu diras : **This is Tom.**

VRAI ☐   FAUX ☐

9 Pour connaitre l'âge de ton camarade, tu lui demanderas : **How many...?**

VRAI ☐   FAUX ☐

10 Le matin tu prends ton petit déjeuner, **breakfast** en anglais.

VRAI ☐   FAUX ☐

11 Pour demander le prix d'un objet, tu poseras la question : **How much is it?**

VRAI ☐   FAUX ☐

12 **Between** signifie **entre** (The bird is between the tree and the flower).

VRAI ☐   FAUX ☐

13 Pour dire que tu as 10 ans, tu diras : **I am 10** (**I'm 10**).

VRAI ☐   FAUX ☐

14 Vingt se dit **twelve.**

VRAI ☐   FAUX ☐

15 Le contraire de **hot** est **empty.**

VRAI ☐   FAUX ☐

16 **Shoe** se prononce comme **soup.**

VRAI ☐   FAUX ☐

17 Vas-tu à l'école **on Sunday** ?

VRAI ☐   FAUX ☐

18 Pour tirer un trait, tu utiliseras **a rubber.**

VRAI ☐   FAUX ☐

19 Pour dire que tu possèdes quelque chose, tu diras : **I've got a cat.**

VRAI ☐   FAUX ☐

20 **A pet** est un animal domestique.

VRAI ☐   FAUX ☐

21 Le pluriel de **foot** est **feet**.

VRAI ☐   FAUX ☐

22 Pour interroger sur un objet, tu utiliseras **Who**.

VRAI ☐   FAUX ☐

23 **The 5 o'clock tea** se prend **in the afternoon**.

VRAI ☐   FAUX ☐

24 L'adjectif épithète se place avant le nom en anglais : **a blue car**.

VRAI ☐   FAUX ☐

25 La boisson traditionnelle des Anglais est le **coffee**.

VRAI ☐   FAUX ☐

Les pays anglophones

1 Quelles sont les capitales des États-Unis, de l'Angleterre et du Canada ?

2 Cite les 2 océans qui entourent les États-Unis.

3 Dans quel pays se trouve la ville de Canberra ?

4 Cite 3 pays anglophones.

5 Sur quel continent se trouve l'Australie ?

6 Cite les pays qui composent le Royaume-Uni (**the United Kingdom**).

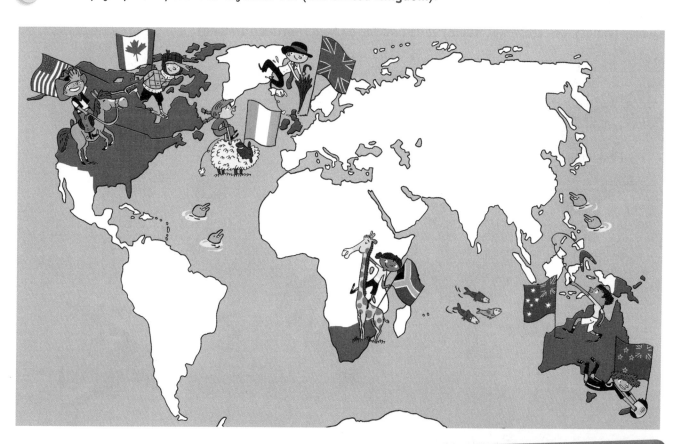

Résultats du test p. 6 ➡

Résultats du TEST

Si ta réponse est bonne, coche la case située à côté.

1 VRAI ☐	6 VRAI ☐	11 VRAI ☐	16 FAUX ☐	21 VRAI ☐
2 FAUX ☐	7 FAUX ☐	12 VRAI ☐	17 FAUX ☐	22 FAUX ☐
3 FAUX ☐	8 VRAI ☐	13 VRAI ☐	18 FAUX ☐	23 VRAI ☐
4 VRAI ☐	9 FAUX ☐	14 FAUX ☐	19 VRAI ☐	24 VRAI ☐
5 FAUX ☐	10 VRAI ☐	15 FAUX ☐	20 VRAI ☐	25 FAUX ☐

Si tu as entre 18 et 25 bonnes réponses : bravo ! Tu es déjà un as en anglais. Et tu vas apprendre encore plus avec ce cahier !

Si tu as entre 10 et 17 bonnes réponses : c'est bien ! Ce cahier va te permettre de réviser quelques notions d'anglais que tu avais peut-être oubliées... Aide-toi du sommaire de la page 3 pour bien approfondir ces chapitres en priorité.

Si tu as entre 1 et 9 bonnes réponses : ce cahier va être très utile pour revoir ou apprendre tes premières notions d'anglais. Lis à chaque fois bien attentivement les encadrés leçon et le vocabulaire proposé. Ensuite seulement, tu pourras faire les exercices. N'oublie pas aussi de te reporter au lexique à la fin de l'ouvrage.

Sur le site **www.hatier-entrainement.com**, tu peux aussi écouter des petites histoires en anglais.

Les pays anglophones

1. États-Unis : Washington. Angleterre : Londres (London). Canada : Ottawa.
2. L'Océan Pacifique (**the Pacific Ocean**) à l'ouest et l'Océan Atlantique (**the Atlantic Ocean**) à l'est.
3. Canberra est la capitale de l'Australie (**Australia**).
4. L'Afrique du Sud (**South Africa**), la Nouvelle-Zélande (**New Zealand**), l'Australie (**Australia**).
   On pourrait également citer le Canada.
5. L'Australie (**Australia**) se trouve en Océanie (**Oceania**).
6. Le Royaume-Uni (**The United Kingdom**) se compose de l'Angleterre (**England**), du Pays de Galles (**Wales**), de l'Écosse (**Scotland**) et de l'Irlande du Nord (**Northern Ireland**).

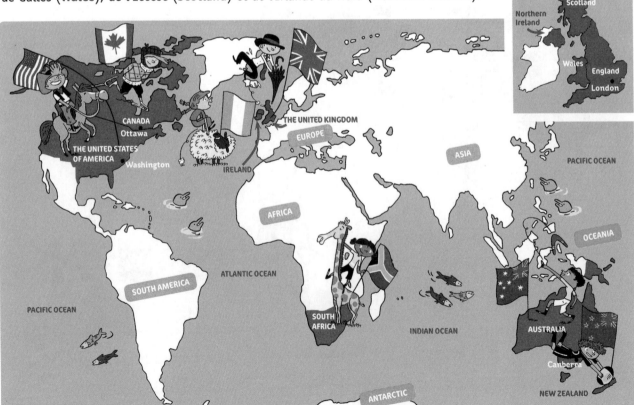

Hello!
Grâce à ce cahier, tu vas jouer avec de nombreux mots d'anglais. Si tu ne comprends pas tout, le lexique de la page 48 t'aidera. Le mémo à la fin du cahier t'expliquera comment bien prononcer les mots.

Prépare ton crayon, ta gomme et tes crayons de couleur !

Amuse-toi bien ! *Have fun!*

■ Chaque chapitre de ce cahier te propose 4 pages pour travailler le **vocabulaire** et la **grammaire** anglaise.

■ Lis attentivement le **vocabulaire** et la leçon de **grammaire** de l'encadré jaune avant de commencer les exercices de la page.

Note que tu peux aussi écrire : **My name is Chloé**. La forme contractée s'utilise surtout lorsqu'on parle.

→ Les **exercices** te proposent 3 niveaux de difficulté : ★ facile, ★★ moyen, ★★★ plus difficile. Parfois, la chouette te donne une petite astuce ou un conseil pour t'aider à les faire, ou bien une information sur les habitudes des pays anglophones.

→ Après avoir regardé le livret des **corrigés**, tu pourras cocher l'une des trois cases situées en bas de chaque double page : la case verte si tu as tout bon, la case orange s'il y a 2 ou 3 erreurs et la case rouge s'il y en a davantage. Tu peux ensuite reporter tes résultats sur le **sommaire/tableau de bord** de la p. 3.

→ Sur les dernières pages du cahier, tu trouveras un **lexique** pour t'aider à comprendre les mots de tous les exercices et un **tableau sur la prononciation** des mots en anglais. Tu peux les regarder autant de fois que nécessaire.

1 Bonjour ! Good morning!

JE COMPRENDS

▶ Il existe plusieurs façons de se saluer, de dire bonjour en anglais. Cela dépend du moment de la journée.

Good morning!
Bonjour !

Good afternoon!
Bonjour !

Good evening!
Bonsoir !

Good night!
Bonne nuit !

▶ Tu peux aussi dire **Hello!** à n'importe quel moment de la journée. À tes très bons amis, tu dis simplement **Hi!**

Hello!

Hi!

Good morning!

JE LIS

Good morning Leo! No! not good morning. It's four o'clock.
It's good afternoon.
Great! It's tea time!

1 Pioche des voyelles pour compléter les mots.

H _ L L _

G _ _ D   M _ R N _ N G

H _

G _ _ D   _ V _ N _ N G

O		O		O		O	E	I
			O					
	I			I		O	O	E
								E

2 Relie les mots à la bonne horloge.

• AFTERNOON   • NIGHT   • EVENING   • MORNING

3 Décode et trouve les mots.

E = ○

O = –

I = ♥

N = ▲

D = ✳

.... = ✕

.... = ●

.... = ✚

.... = ☞

.... = ■

.... = ❀

.... = ❖

Corrigés p. 2

....

Plus d'exercices et de conseils sur **www.hatier-entrainement.com**

9

Le présent

JE COMPRENDS

▶ Il y a 3 genres en anglais : le masculin **(he)**, le féminin **(she)** et le neutre, pour les animaux et les objets **(it)**.

he   she   it

▶ Le présent

I speak English.	*Je parle anglais.*
You speak English.	*Tu parles anglais.*
He speak**s** English.	*Il parle anglais.*
She speak**s** English.	*Elle parle anglais.*

Tu noteras le **s** à la troisième personne du singulier **(he, she, it)**.

I come from Madrid.
Je viens de Madrid.

He come**s** from London.
Il vient de Londres.

⭐ **1** **Place he, she ou it au bon endroit.**

 1

 2

 3

 4

....

 5

 6

 7

 8

....

N'oublie pas : on emploie **she** ou **he** seulement pour des personnes.

2 Relie la première personne (I) à la 3ᵉ personne (he, she ou it) du même verbe.

I play •   • she likes

I like •   • he speaks

I speak •   • it plays

I love •   • he loves

I go •   • she goes

Note bien qu'à la 3ᵉ personne du singulier (**he**, **she**, **it**), le verbe se termine par un **s**.

 3 D'où viennent ces enfants ?

Utilise le verbe **come from** pour traduire **venir de**.

A He comes from England.

B ....

C ....

D ....

Corrigés p. 2

E ....

F ....

Plus d'exercices et de conseils sur www.hatier-entrainement.com

2 Je m'appelle Carla.
My name's Carla.

JE COMPRENDS

What's your name?

My name's Carla.

This is Carla.

▶ Pour se présenter :
Si on te pose la question **What's your name?** Comment t'appelles-tu ?,
tu réponds : **My name's Steven.** (My name is Steven.) Je m'appelle Steven.

Tu peux aussi répondre : **I'm Steven.** (I am Steven.)

▶ Pour présenter quelqu'un, utilise la formule "This is ..." + le nom
de la personne que tu présentes : **This is Peter.**

JE LIS

- Hello! What's your name?

- My name's Leo and this is my brother Joseph.

- Hi! I'm Noah! and this is my cousin Andrea.

 1 Ces personnages se présentent de deux manières différentes. Complète.
Chloe : My name's Chloe. I'm Chloe.

Luana : ....

Cameron : ....

Sarah : ....

Ben : ....

Note que tu peux
aussi écrire : **My
name is Chloé**. La
forme contractée
s'utilise surtout
lorsqu'on parle.

2 À toi, à présent, de nous présenter tes amis en utilisant This is ...

This is est toujours suivi d'un singulier : **This is Marie**.

BRIAN

....

....

CYNTHIA

....

....

JOY

....

....

BRADLEY

3 Remets ces éléments dans le bon ordre pour construire des phrases correctes.

N'oublie pas : I (je) s'écrit toujours avec une majuscule.

is   name   Allison   my   ....

Jessica   is   this   ....

Benjamin   am   I   ....

comes   Italy   from   Julio   ....

morning   Jane   good   .   ...

your   is   name   what   ?   ....

English   speaks   Joy   ....

Corrigés p. 2

speaks   he   Spanish   ....

is   Hello   !   what   name   your   ?   ....

....

Plus d'exercices
et de conseils sur
www.hatier-entrainement.com

13

2 Le verbe être : be

JE COMPRENDS

◗ Pour parler de quelqu'un ou de quelque chose, on emploie le verbe **be** (être).

Elliot is my friend. *Elliot est mon ami.*

It is not a book. It isn't a book. *Ce n'est pas un livre.*

◗ Conjugaison du verbe **be**

Forme affirmative		Forme contractée	Forme interrogative
I am	*Je suis*	I'm	Am I?
You are	*Tu es*	You're	Are you?
He is	*Il est*	He's	Is he?
She is	*Elle est*	She's	Is she?
It is	*C'est*	It's	Is it?
We are	*Nous sommes*	We're	Are we?
You are	*Vous êtes*	You're	Are you?
They are	*Ils sont*	They're	Are they?

Dans la forme contractée, la voyelle est remplacée par une apostrophe.

À la forme interrogative, l'ordre des mots est inversé : **I am → Am I?**

À la forme négative, on ajoute **not**.

Forme négative	Forme contractée
I am not	I'm not
You are not	You aren't
He is not	He isn't
She is not	She isn't
It is not	It isn't
We are not	We aren't
You are not	You aren't
They are not	They aren't

★ **1** **Ajoute les mots manquants pour compléter la conjugaison du verbe** be.

.... am   .... is

You ....   We ....

He .... are

.... is   .... are

Attention, à la 3e personne du singulier, on peut employer **he**, **she** ou **it**.

2 **Relie les sujets et les verbes qui correspondent.**
Un verbe peut avoir plusieurs sujets.

HE

AM

THEY

YOU

IS

SHE

ARE

I

3 **Complète avec** Yes, I am **ou** No, I'm not.

Yes, I am. On
n'utilise pas
de contraction ici.

Jason

Are you Jason?

Yes,...

Brian

Are you David?

........,...

Matthew

Are.......................................?

Yes,...

David

....Mary?

........,...

Corrigés p. 2

....

Plus d'exercices
et de conseils sur
www.hatier-entrainement.com

3 La famille. The family
Les animaux domestiques. Pets

JE COMPRENDS

▶ The family. *La famille*

grandfather
grandmother
father
mother
son
daughter
brother
sister

Papa se dit **Daddy** ou **Dad**.
Maman se dit **Mummy** ou **Mum**.

▶ Pets. *Les animaux domestiques*

a cat   a goldfish   a rabbit   a bird   a dog

JE LIS

I like my parents, my little brother Bradley and my grand parents.
I've got three pets: two cats and a white rabbit.

⭐ ① **Mets ces lettres dans le bon ordre pour trouver les membres de cette famille.**

ITRESS : ....

EFHRAT : ....

RRDFHTAGNAE : ....

OEHTMR : ....

HBRETOR : ....

2 Who is who? **Qui est qui ? Regarde cet arbre généalogique et réponds aux questions.**

A
B
C
D
E
F

Who is A?   grandfather

- Who is B? ....
- Who is C? ....
- Who is D? ....
- Who is E? ....
- Who is F? ....

who signifie **qui**.

a signifie **un**, **une**.

3 **Entoure le bon animal.**

a cat
a bird
a dog

a goldfish
a rabbit
a bird

a bird
a rabbit
a dog

a dog
a bird
a rabbit

a goldfish
a cat
a rabbit

4 **Cet animal est bien étrange. Il se compose d'éléments de différents animaux. Lesquels ? Écris leurs noms.**

....

....

....

....

....

Corrigés p. 3

Plus d'exercices
et de conseils sur
www.hatier-entrainement.com

17

GRAMMAIRE

3 Il y a : there is, there are

Pour dire *il y a*, on utilise **there is (there's)** ou **there are (there're)**.

▶ **There is** est suivi d'un singulier :
There is a bird on the window. *Il y a un oiseau sur la fenêtre.*

    mot au singulier

▶ **There are** est suivi d'un pluriel :
There are three birds on the window. *Il y a trois oiseaux sur la fenêtre.*

    mot au pluriel

★ **1** **Regarde les dessins et construis des phrases avec les éléments donnés.**

		A CAT	IN THE POCKET
THERE	IS	2 RABBITS	IN THE BED
	ARE	A DOG	IN THE GLASS
		A GOLDFISH	IN THE BATHROOM

....

....

....

....

the signifie **le**, **la**.

glass signifie **verre**.

★★ **2** **Écris ces phrases au pluriel en remplaçant** a **par** two **(deux).**
There's a dog in the garden. **There are two dogs in the garden.**

There's a rabbit on the roof.

....

There's a bird on my foot.

....

There's a cat in the car.

....

3 **Qui habite dans ce drôle de château ?**

There is ....

There are ....

There are ....

There is ....

There are ....

4 **Observe ce jardin. Écris** true (vrai) **ou** false (faux) **à côté des phrases.**

There's a dog. ....

There're 2 dogs. ....

There's a mother. ....

There're 2 mothers. ....

There's a cat. ....

There're 2 cats. ....

There's a grandfather. ....

There're 2 grandmothers. ....

There's a father. ....

There're 3 birds. ....

There're 2 birds. ....

There're 2 grandfathers. ....

Les mots au pluriel se terminent la plupart du temps par un **-s** sauf quelques exceptions. Certains finissent par **-es** (**potatoes**) ou sont irréguliers (**man → men**, **child → children**).

Corrigés p. 3

....

Plus d'exercices
et de conseils sur
www.hatier-entrainement.com

4 Une semaine à l'école
A week at school

JE COMPRENDS

▶ The week. *La semaine*

Monday	Tuesday	Wednesday	Thursday	Friday	Saturday	Sunday
lundi	*mardi*	*mercredi*	*jeudi*	*vendredi*	*samedi*	*dimanche*

▶ Pour savoir quel jour on est, tu poses la question :
What's the day today? *Quel jour sommes-nous aujourd'hui ?*
On te répond : **Today is Monday.** *C'est lundi, aujourd'hui.*

▶ At school. *À l'école*

JE LIS

Good morning! What's the day today?
Today is Friday.
And remember! On Friday we play cards in English.

Remember signifie **rappelez-vous** et **play cards** signifie **jouer aux cartes**.

1 **Mets les jours de la semaine dans le bon ordre.**

Saturday		Sunday	
Monday			Thursday
	Wednesday		
Friday			
		Tuesday	

Souviens-toi, les jours de la semaine s'écrivent toujours avec une **majuscule**.

....

....

....

2 **Dessine ces objets dans la trousse.**
2 pencils, 1 ruler, 3 pens, 1 rubber

What have you got in your pencil case?

3 **Dix mots que tu viens d'apprendre sont cachés dans cette grille. Trouve-les.**

T	E	A	C	H	E	R	R	B	D
A	P	U	P	I	L	M	U	A	E
C	H	A	I	R	N	P	L	O	S
B	K	E	I	Z	O	U	E	U	K
L	O	N	U	V	Z	M	R	V	A
B	L	A	C	K	B	O	A	R	D
O	U	L	C	P	E	N	C	I	L
N	V	I	S	R	U	B	B	E	R
P	E	N	C	I	L	C	A	S	E
D	F	J	O	P	B	O	O	K	S

....

....

....

....

....

....

....

....

....

....

Corrigés p. 3

....

Plus d'exercices et de conseils sur www.hatier-entrainement.com

4 Qui ? Quoi ? Who? What?

JE COMPRENDS

▸ **What's your name?** *Quel est ton nom ? (Comment t'appelles-tu ?)*

What's your name?

My name's Alice.
Je m'appelle Alice.

▸ **What is it?** *Qu'est-ce que c'est ?*

What is it?

It's a doll. (It is a doll.)
C'est une poupée.

▸ **Who are you?** *Qui es-tu ?*

Who are you?

I'm Dan. (I am Dan.)
Je m'appelle Dan.

★ ❶ **Écris who ou what sous chaque dessin.**

1 .... 2 .... 3 .... 4 ....

5 .... 6 .... 7 .... 8 ....

Who sert
à interroger
sur les personnes.

2 Demande le nom de tes nouveaux camarades de classe. Écris aussi leur réponse.
What's your name? My name's Jan.

Jim ....?

Jennifer ....?

Jessica ....?

N'oublie pas, **'s** est la contraction de **is**.

3 Pose la question et donne la réponse. What is it? It's a pen.

....?

....?

....?

4 Demande et donne l'identité de chaque enfant.

1 2 3 4 5 6

Jonathan Matthew Michael Cameron Peter Pamela

Le sais-tu ? Les écoliers anglais portent généralement **l'uniforme** de leur école.

Who is number 1? **Number 1 is Jonathan.**

2 ....? ....

3 ....? ....

4 ....? ....

5 ....? ....

6 ....? ....

Corrigés p. 3-4

Plus d'exercices et de conseils sur www.hatier-entrainement.com

Les repas. Meals

JE COMPRENDS

▶ Breakfast. *Le petit déjeuner*

milk

orange juice

jam

GLOP'S

cereals

butter

hot chocolate

bacon and eggs

tea

toast

And you, what do you eat for breakfast?

▶ Lunch or dinner. *Le déjeuner ou le diner*

peas

apple

pear

fish and chips

grapes

beans

hamburger

carrots

water

potatoes

bread

chicken

ham

cherries

tomatoes

banana

apricots

sausages

Have lunch signifie **déjeuner**. Have dinner signifie **diner**.

JE LIS

▶ I'm hungry! I'm thirsty!

When I'm hungry, I eat.

When I'm thirsty, I drink.

1 Place ces aliments dans la bonne colonne.

tea   eggs   apple   carrot   water   milk   potatoes   orange juice   hamburger

EAT	DRINK
....	....
....	....
....	....
....	....
....	....

Observe bien l'illustration de la page 24 pour mémoriser le nom des aliments.

2 Complète cette grille.

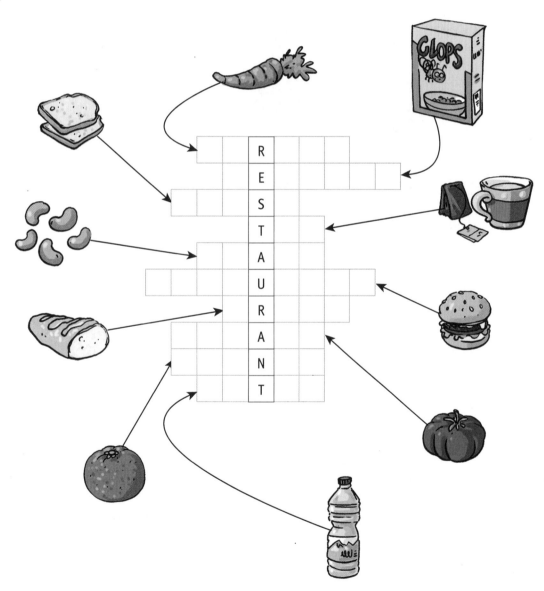

Le **tea time** est un moment important pour tous les Anglais. Vers 16 h, ils prennent le thé, accompagné de gâteaux (des **scones** par exemple).

Corrigés p. 4

Plus d'exercices et de conseils sur www.hatier-entrainement.com

Le verbe avoir : have got

JE COMPRENDS

Pour dire ce que tu possèdes, tu utilises le verbe **have** suivi de **got**.

Forme affirmative		Forme contractée
I have got	J'ai	I've got
You have got	Tu as	You've got
He has got	Il a	He's got
She has got	Elle a	She's got
It has got	Il / Elle a	It's got
We have got	Nous avons	We've got
You have got	Vous avez	You've got
They have got	Ils ont	They've got

Have you got a cat?
As-tu un chat ?

No, I've got a dog!
Non, j'ai un chien !

Forme interrogative	Forme négative
Have I got?	I haven't got
Have you got?	You haven't got
Has he got?	He hasn't got
Has she got?	She hasn't got
Has it got?	It hasn't got
Have we got?	We haven't got
Have you got?	You haven't got
Have they got?	They haven't got

 1 **Écris une ou plusieurs phrases pour dire ce que Jane a dans sa chambre.**

La forme contractée **'s got** ou **'ve got** est presque toujours utilisée à l'oral.

....

....

★ 2 **Retrouve ce que chaque personne possède.**

Jim .... a cat.

.... a dog.

Jonathan .... a ....

.... an elephant.

....

★ 3 **Réponds aux questions. Combien a-t-il de... ?**

How many pencils has he got? He's got ....

How many books has he got? He ....

How many rulers has he got? He ....

How many pens has he got? He ....

How many schoolbags has he got? He ....

Corrigés p. 4

How many rubbers has he got? He ....

Plus d'exercices
et de conseils sur
www.hatier-entrainement.com

6 Le visage et le corps
The face and the body

JE COMPRENDS

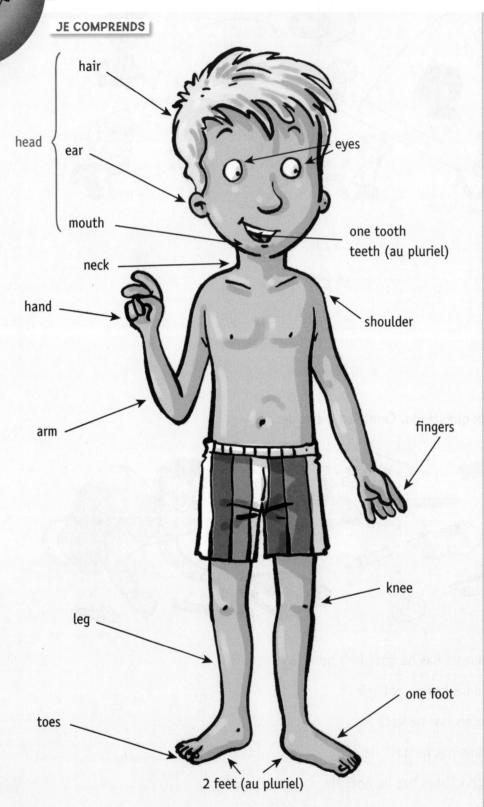

hair

head

ear

mouth

eyes

one tooth
teeth (au pluriel)

neck

shoulder

hand

arm

fingers

knee

leg

one foot

toes

2 feet (au pluriel)

JE LIS

My name's Lucas. I'm 8 years old. I've got brown hair and green eyes. My feet are strong so I am a good football player.

Strong signifie **fort**.

1 **Place les mots au bon endroit.**
head, teeth, mouth, leg, arm, shoulder, ear, nose, foot

> **teeth** (dents) est le pluriel de **tooth** ; **foot** (pied) est le singulier de **feet**.

2 **Décris cet étrange personnage qui arrive d'une planète inconnue.**
He's got two heads.

He's got ....

He's got ....

He's got ....

He's got ....

He's got ....

3 **Toutes les voyelles de ces mots ont été remplacées par des trèfles.**
Remplace-les par les bonnes voyelles pour retrouver les mots de la leçon.

T O ✤ ....

M ✤ ✤ T H ....

T ✤ ✤ T H ....

F ✤ N G ✤ R ....

H ✤ ✤ D ....

S H ✤ ✤ L D ✤ R ....

L ✤ G ....

✤ R M ....

> Attention au 3e mot : les voyelles seront différentes au singulier ou au pluriel.

Corrigés p. 4

Plus d'exercices et de conseils sur www.hatier-entrainement.com

6 Le verbe pouvoir : can

JE COMPRENDS

▸ **Can**

> I can jump.
> *Je peux sauter.*

> I can't swim.
> *Je ne peux pas nager.*

> Can you sing?
> *Est-ce que tu sais chanter ?*

> Yes, I can.

Quelquefois, **can** a aussi le sens de *savoir*.

▸ **Les verbes d'action**

jump	swim	play football	play the piano

dance	cook	sing	run

1 Relie chaque étiquette au bon personnage.

Regarde attentivement les verbes de la leçon avant de faire cet exercice.

He can cook.

He can run.   He can dance.   He can sing.   He can play tennis.

2 **Observe les personnages et réponds :** Yes, he/she can **ou** No, he/she can't.

Souviens-toi, **can't** est la forme négative de **can**.

Can A swim? ....

Can B play football? ....

Can C run? ....

Can D jump? ....

Can E cook? ....

Can F sing? ....

3 **Dis ce que tu sais et ne sais pas faire.**

I can .... I can't ....

I .... I ....

....

....

Dans l'ex. 3, tu peux utiliser d'autres verbes : **speak English** (parler anglais), **ride a bike** (faire du vélo),...

Corrigés p. 4-5

☐ .... ☐ .... ☐ ....

Plus d'exercices et de conseils sur www.hatier-entrainement.com

31

Les adjectifs

JE COMPRENDS

cold / hot

big / small

fat / thin

old / young

full / empty

sad / happy

JE LIS

I've got two pets, a cat and a dog. My cat is young and small.
My dog is old and fat. He sleeps all day when it is hot.

Sleep signifie **dormir** et **all day** signifie **toute la journée**.

★ **1** **Dessine !**

| a small rabbit | a hot chocolate | an empty bottle |

| a fat teacher | a big elephant | a happy baby |

Attention, ici l'adjectif se place **avant** le nom.

★★ **2** **Donne le contraire de ces adjectifs.**

sad ....   hot ....

small ....   young ....

empty ....   full ....

Observe bien les illustrations de la leçon avant de faire cet exercice.

3 **Relie dans le dessin ce qui correspond à ce personnage.**

fat arms •

long nose •

big mouth •

short hair •

small eyes •

• thin arms

• short nose

• small mouth

• long hair

• big eyes

short est le contraire de long.

 4 **Entoure le bon adjectif.**

The sun is hot / cold.

A giraffe has got a short / long neck.

A hippopotamus is small / big.

An ice cream is hot / cold.

 5 **Dessine ce drôle de personnage.**

He has got 2 small ears, 1 big eye, 3 fat arms, a big head, 3 thin legs.
He is very old. He is cold. He is happy.

he is cold signifie il a froid.

Corrigés p. 5

Plus d'exercices et de conseils sur www.hatier-entrainement.com

33

7 La place des adjectifs

▶ L'adjectif se place **avant le nom** :
a **blue bird** un oiseau bleu
a **small house** une petite maison
a **beautiful dress** une belle robe
a **white shirt** une chemise blanche

▶ Il se place **après le verbe** :
The glass is empty. Le verre est vide.
Benjamin is tall. Benjamin est grand.
Ann is happy. Ann est heureuse.
The water is cold. L'eau est froide.

★ 1 **Décris ces dessins.**

Souviens-toi
l'adjectif se place
avant le nom. :
a small cat

a big elephant   ....

....

2 **Décris ces dessins.**

Ici l'adjectif
se place **après**
le verbe.

The bird is small. ....

....

 3 **Transforme les phrases.**
big orange: The orange is big.

small insect: ....

expensive car: ....

full bottle: ....

yellow book: ....

happy mother: ....

old grandfather: ....

Pense à bien placer
l'adjectif **après**
le verbe
au moment de la
transformation
de la phrase :
the cat is small.

4 **Mets ces groupes de mots dans le bon ordre.**

tomato / a / red: ....

is / blue / sky / The: ....

tall / actress / a: ....

They / beautiful / are / flowers: ....

Corrigés p. 5

....

Plus d'exercices
et de conseils sur
www.hatier-entrainement.com

35

Les chiffres et l'heure
Numbers and time

JE COMPRENDS

▶ Les chiffres de 1 à 20

1 one	16 six	11 eleven	16 sixteen
2 two	17 seven	12 twelve	17 seventeen
3 three	18 eight	13 thirteen	18 eighteen
4 four	19 nine	14 fourteen	19 nineteen
5 five	10 ten	15 fifteen	20 twenty

JE LIS

▶ Lire l'heure

It's 9 o'clock.

It's half past 9.

Half signifie la demie. Pour dire 9 h 30, tu diras donc **It's half past 9**.

1 Relie chaque chiffre à son équivalent en lettres.

10	8	2	20	18	13	3

thirteen · three · ten · eighteen · two · eight · twenty

N'oublie pas : les nombres entre 13 et 19 se terminent tous par **-teen**.

2 Écris en lettres les résultats de ces opérations.

five + five = ...   two + three + four = ...

thirteen + two = ...   one + fourteen = ...

twenty – eight = ...   twenty – five = ...

★ 3 Donne le nombre en lettres.

The giraffe is number .... The zebra is number ....

The elephant is number .... The bear is number ....

The bird is number .... The snake is number ....

The cat is number .... The lion is number ....

Attention à bien écrire **fourteen** et **twenty**.

★★ 4 What time is it? Quelle heure est-il ?

....

....

Pense à bien placer **past**.

★★ 5 Dessine les aiguilles.

It's seven o'clock. It's half past twelve. It's eleven o'clock.

N'oublie pas : on ajoute **o'clock** seulement pour l'heure pile.

Corrigés p. 5-6

Plus d'exercices et de conseils sur www.hatier-entrainement.com

37

GRAMMAIRE 8 · Combien ? How much? How many? Quel âge ? How old?

JE COMPRENDS

▶ Pour demander le prix d'un objet : **How much?**

How much is the book?
Combien coute ce livre ?

It's 15 euros.
Il coute 15 euros.

▶ Pour interroger sur le nombre : **How many?**

How many dogs have you got?
Combien as-tu de chiens ?

I've got 2 dogs.
J'ai 2 chiens.

▶ Pour demander l'âge de quelqu'un : **How old are you?**
Attention, on répond avec le verbe **be**.
I am 12. *J'ai 12 ans.*

How old are you?
Quel âge as-tu ?

I'm 10.
J'ai 10 ans.

★ **1** **Réponds à ces questions.**

How many fingers have you got?   I've got .... fingers.

How many brothers have you got?   ....

How many sisters have you got?   ....

How old are you?   ....

how many signifie **combien** et interroge sur **le nombre**.

38

2 **Cet extraterrestre est vraiment étrange.**

Demande-lui combien il a...

d'yeux : .... ?

de jambes : .... ?

de bras : .... ?

de doigts : .... ?

d'oreilles : .... ?

Révise le vocabulaire du corps de la page 28.

3 **Combien coutent ces objets ? Pose la question et donne la réponse.**

how much signifie aussi **combien** mais permet ici d'interroger sur **le prix**.

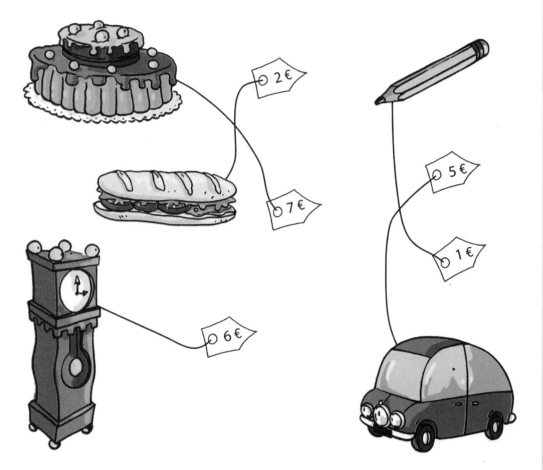

How much is the clock? It's .... euros.

How .... ? It ....

How .... ? It ....

.... ? ....

.... ? ....

Corrigés p. 6

Plus d'exercices et de conseils sur www.hatier-entrainement.com

VOCABULAIRE

9 La maison, les meubles
The house, the furniture

JE COMPRENDS

chimney
roof
bedroom
computer
desk
window
bed
bathroom
living room
mirror
curtains
armchair
sofa
bath
towel
dining room
kitchen
table
chairs
cooker
fridge
dishwasher

JE LIS

I live in a house. My bedroom is comfortable. There is a big window.
The walls are pink. There is a bed, a desk, a chair and I've got a computer.

① Relie le mot au dessin qui lui correspond.

N'oublie pas : la cheminée, **chimney**, se trouve sur le toit d'une maison.

curtains •

  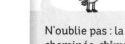

• bed

bath •

• cooker

fridge •

• chair

roof •

• chimney

armchair •

• window

sofa •

• towel

② Tu peux écrire les noms de trois meubles avec ces lettres. Retrouve-les.

1 _ _ _

2 _ _ _ _ _

3 _ _ _ _

```
        B       D       H       O
   C
        A       F           A
                                E
 R       I               S
```

Attention, utilise une lettre par tiret.

Corrigés p. 6

....

Plus d'exercices et de conseils sur
www.hatier-entrainement.com

9 Où ? sur, dans, sous, entre
Where? on, in, under, between

JE COMPRENDS

in   under   on   between

 1 **Dessine un ballon au bon endroit.**

Avant de faire cet exercice, observe bien les prépositions : **on**, **in**, **under** et **between**.

on the roof

under the bed

between the computer and the TV

under the car

in the fridge

between the tree and the dog

2 Des objets se sont déplacés.
Suis les instructions et indique leur place avec une flèche.

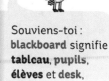

The teacher is between the blackboard and the desk.

The blackboard is on the wall, the pupils are on the chairs.

The books are on the desk.

The pencils are between the lamp and the paper.

3 **Where is the ghost?** Où est le fantôme ? Pose la question et réponds.

Where is the ghost? It is...

....

.... the ghost?...............................

....

.............................? ....

....

.............................? .... pocket.

....

Corrigés p. 6-7

Plus d'exercices
et de conseils sur
www.hatier-entrainement.com

Jeux. Games

★ **1** Écris la première lettre de ces mots.
Aide-toi des dessins.

_ A R P E T
_ Y E S
_ O O T
_ I R L
_ O U S E
_ R M
_ E D

★ **2** Entoure les dessins dont le nom en anglais commence par une voyelle.
Écris la voyelle à côté du dessin.

★★ **3** Que font ces personnes ? Entoure le bon verbe.

 1   SLEEP / JUMP

 4   COOK / SING

 2   JUMP / RUN

 5   PLAY / SING

 3   SING / SWIM

 6   PLAY / COOK

Relie la phrase à la bonne illustration.

1   2   3   4

I'm old.   I'm cold.   I'm sad.   I'm happy.

 Allison a perdu ses amis. Aide-la à les retrouver dans ce château. Relie-les au bon endroit.

I'm on the roof.

I'm in the garden.

I'm in the dining room.

I'm in the kitchen.

I'm in the bathroom.

I'm in the bedroom.

I'm cold signifie j'ai froid.

Dans les maisons anglaises, les chambres sont en haut (upstairs) et la cuisine en bas (downstairs).

Corrigés p. 7

Plus d'exercices et de conseils sur www.hatier-entrainement.com

45

Jeux. Games

★★ ① What time is it?
Relie l'heure correcte à chaque horloge.

It's ten o'clock. It's half past eleven. It's twelve o'clock. lt's half past nine.

Souviens-toi, **half** signifie **la demie**.

★★ ② **Complète cet arbre généalogique. Relie les étiquettes au bon endroit.**

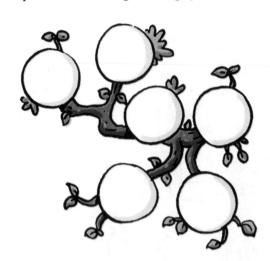

| GRANDFATHER |
| GRANDMOTHER |
| FATHER |
| MOTHER |
| BROTHER |
| SISTER |

★★ ③ **Écris les résultats et entoure-les dans cette grille.**

ten – five = ...

eighteen + two = ...

eleven + two = ...

15	9	20
12	5	7
6	10	13

④ **Que prends-tu au petit déjeuner ? Fais ton choix.**

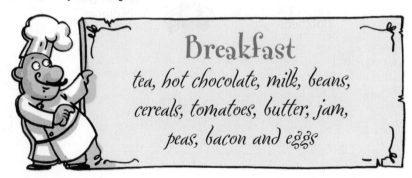

Breakfast
tea, hot chocolate, milk, beans,
cereals, tomatoes, butter, jam,
peas, bacon and eggs

Il y a 3 repas en anglais : **breakfast – lunch – dinner**.

★ **5** Quel âge ont les personnages de cette famille ?
Pose les questions et écris les chiffres en lettres.

Attention :
ne confonds pas
four**teen** (14)
et for**ty** (40).

How old is the father?   He is ....

How ....? He ....

How ....? He ....

How ....? She ....

How ....? She ....

How ....? She ....

★ **6** Combien de mots commençant par B peux-tu trouver dans ce dessin ?
Entoure-les puis écris-les.

....

....

....

Corrigés p. 7

Plus d'exercices
et de conseils sur
www.hatier-entrainement.com

Lexique

A

actress . . . . actrice
apple . . . . pomme
all day . . . . toute la journée
arm . . . . bras
armchair . . . . fauteuil

B

bath . . . . baignoire
be . . . . être
bear . . . . ours
bed . . . . lit
between . . . . entre
big . . . . grand
bird . . . . oiseau
blackboard . . . . tableau noir
body . . . . corps
book . . . . livre
bread . . . . pain
breakfast . . . . petit déjeuner
brother . . . . frère
butter . . . . beurre

C

can . . . . pouvoir
car . . . . voiture
carrot . . . . carotte
cat . . . . chat
chair . . . . chaise
cheap . . . . bon marché
cherries . . . . cerises
chicken . . . . poulet
chimney . . . . cheminée
chips . . . . frites
cold . . . . froid
computer . . . . ordinateur
cook . . . . cuisiner
cooker . . . . cuisinière (objet)
curtains . . . . rideaux

D

dance . . . . danser
desk . . . . bureau
dinner . . . . diner (dîner)
dishwasher . . . . lave-vaisselle
dog . . . . chien

E

ear . . . . oreille
egg . . . . œuf
empty . . . . vide
expensive . . . . cher
eye . . . . œil

F

face . . . . visage
family . . . . famille
fat . . . . gros
father . . . . père
finger . . . . doigt
fish . . . . poisson
flower . . . . fleur
foot (feet) . . . . pied(s)

Friday . . . . vendredi
fridge . . . . frigo
full . . . . plein

G

glass . . . . verre
goldfish . . . . poisson rouge
grandfather . . . . grand-père
grandmother . . . . grand-mère
grape . . . . raisin
green beans . . . . haricots verts

H

hair . . . . cheveux
ham . . . . jambon
hand . . . . main
happy . . . . heureux
have . . . . avoir
head . . . . tête
hot . . . . chaud
how many . . . . combien (nombre)
how much . . . . combien (prix)
how old . . . . quel âge
hungry . . . . faim

I

in . . . . dans

J

jam . . . . confiture
jump . . . . sauter

K

knee . . . . genou

L

leg . . . . jambe
lunch . . . . déjeuner

M

meal . . . . repas
mirror . . . . miroir
Monday . . . . lundi
mother . . . . mère
mouth . . . . bouche

N

name . . . . nom
neck . . . . cou
new . . . . neuf
nose . . . . nez

O

old . . . . vieux
on . . . . sur
open . . . . ouvrir
orange juice . . . . jus d'orange

P

pear . . . . poire
peas . . . . petits pois
pen . . . . stylo

pencil . . . . crayon
pet . . . . animal domestique
play . . . . jouer
potato(es) . . . . pomme(s) de terre
pupil . . . . élève

R

rabbit . . . . lapin
remember . . . . se rappeler
roof . . . . toit
rubber . . . . gomme
ruler . . . . règle
run . . . . courir

S

sad . . . . triste
Saturday . . . . samedi
school . . . . école
short . . . . court
shoulder . . . . épaule
sing . . . . chanter
sister . . . . sœur
sky . . . . ciel
sleep . . . . dormir
small . . . . petit
snake . . . . serpent
sofa . . . . canapé
strong . . . . fort
Sunday . . . . dimanche
swim . . . . nager

T

tall . . . . grand (taille)
teacher . . . . professeur
there is, there are . . . . . il y a
thin . . . . mince
thirsty . . . . assoiffé
Thursday . . . . jeudi
today . . . . aujourd'hui
toe . . . . orteil
tomato(es) . . . . tomate(s)
tooth (teeth) . . . . dent(s)
towel . . . . serviette
Tuesday . . . . mardi

U

under . . . . sous

V

vegetable(s) . . . . légume(s)

W

Wednesday . . . . mercredi
week . . . . semaine
what . . . . que, quoi
who . . . . qui
window . . . . fenêtre

Y

young . . . . jeune

Z

zebra . . . . zèbre

Achevé d'imprimer en France par Imprimerie IPS
Dépôt légal : 05051-8/03 - Mai 2020